DATE DUE

Newmarket Public Library

795

3 9158 01045056 8

D1451098

J
French
381
.18
Mar

Le Marche. -- COPY 1

PRICE: $7.95 (39/c)

COPY 1   795

J   Le Marche. -- [Paris] : Istra, c1986.
French   8 p. : ill. --(Le Bibliobus ; v. 6)
381
.18   03378225   ISBN:2713506719 ✓
Mar
           1. Markets.

4101   88SEP07   39/c   1-00912767

le marché

 le bibliobus

 istra

OCT 5 1988

Il est encore tôt.
La rue est calme.
Un monsieur dresse un éventaire.
C'est un éventaire pour le marché.
Il fixe une latte.
Il met une toile par-dessus.
Puis il installe ses marchandises.

Le marché est prêt.
Tu viens?
Nous allons faire nos courses,
avec un panier et un filet.
Ils vendent de tout:
de la laine, du riz, du fromage.
Et beaucoup d'autres choses.
Qu'est-ce que tu veux acheter?

Voilà le marchand de légumes.
Il y a aussi des fruits.
Arrête-toi !
Tu as le choix.
Nous achetons un kilo de poireaux.

Allons chez le marchand de poissons.
Quel poisson choisis-tu?
Montre-le moi.
La marchande le pèse.
Elle l'enveloppe dans un papier.
Mets-le dans ton filet.

Qui crie si fort?
Il y a beaucoup de gens là-bas.
Viens voir ce qui se passe.
Maintenant tu peux entendre
ce que crie ce vendeur:
Regardez et achetez!
C'est très joli.
Et ce n'est pas cher.

Des fleurs, de jolies fleurs!
Il y en a beaucoup.
A toi de choisir!
Ce n'est pas facile...
Donnez-moi ce bouquet-là,
avec les marguerites.
Il a de si belles couleurs.

Il est déjà tard.
Le marché se termine.
Quel désordre !
Les marchands rangent.
Les éboueurs arrivent.
Ils nettoyent la rue.
Viens, rentrons à la maison !

collection le bibliobus d'istra
6e volume : le marché

ISBN : 2.7135.0671.9

© 1983 : de Ruiter Gorinchem
  1986 : Éditions Casteilla

toute reproduction, traduction, adaptation ou représentation,
même partielle, par tous procédés, en tout pays,
faite sans autorisation préalable est illicite
et exposerait le contrevenant à des poursuites judiciaires.

Aubin Imprimeur
LIGUGÉ POITIERS   N° d'impression P 14527. Imprimé en France

OCT 5 1988

Newmarket Public Library